STORI GELERT

JOAN PERKINS

Cyfieithiad Cymraeg gan Delyth Evans

Amser maith yn ôl 'roedd Tywysog a Thywysoges yn byw yng Ngogledd Cymru.

Merch hardd iawn oedd y Dywysoges. 'Roedd ganddi wallt hir euraid fel sidan main. Byddai'n ei olchi yn nŵr pur y nant a'i frwsio ganwaith bob nos. 'Roedd ei llygaid yn lasach na'r wybren ar ddiwrnod teg o haf a phan wenai byddai pawb yn hapus.

Dyn tal, cryf a dewr oedd y Tywysog Llywelyn. Ni fedrai un dyn yn y deyrnas farchogaeth ceffyl yn well nag ef a hoffai hela yn y goedwig. Serch hynny, 'roedd yn ŵr caredig a thyner a charai'r Dywysoges yn fawr iawn. Pan gafodd y Dywysoges fab bychan 'roedd Llywelyn yn ddyn hapus iawn.

Hoffai fagu ei fab bychan yn ei freichiau a chanu iddo. Gwallt tywyll cyrliog fel ei dad oedd gan y babi a llygaid glas tywyll fel ei fam ond dywedai pawb ei fod yr un ffunud ai dad. Teimlai'r

Tywysog yn falch iawn wrth glywed hyn.

Chwarddai'r babi gan blethu ei fysedd o gylch bysedd ei dad. 'Roedd y Tywysog wrth ei fodd. Dyma'r baban gorau yn y byd i gyd. Fe fyddai'n siwr o dyfu'n fachgen cryf, di-ofn. 'Roedd y tad yn ysu am gael dysgu iddo farchogaeth a mynd ag ef yn gwmni i hela.

Pan anwyd y babi penderfynnodd Gelert mai ei gyfrifoldeb arbennig ef fyddai ei gadw'n ddiogel. Yn y nos byddai'n cysgu yn ystafell y baban wrth droed ei grud. Os byddai'n crio, rhedai Gelert i nôl y Dywysoges, ac ni fyddai'n hapus nes iddo gysgu'n dawel unwaith eto.

Cafodd y Tywysog Llywelyn Gelert yn rodd gan ei dad. 'Roedd mor fychan y pryd hynny fel y gallai'r Tywysog ei ddal mewn un llaw. Byddai'r anifail bach yn ei wthio gyda'i drwyn oer ac yn llyfu ei law gyda'i dafod bach garw. Gaeaf oedd hi, a dododd

y Tywysog y bwndel bach blewog y tu fewn i'w grys i gadw'r ci bach yn gynnes.

Dododd y Dywysoges fasged iddo ger y tân yn y Neuadd Fawr ond tyfodd yn rhy fawr i'r fasged yn fuan iawn.

Dilynnai Gelert ei feistr i bobman. Pan âi'r Tywysog i ffwrdd byddai'n gwarchod y Dywysoges.

Penderfynnodd y rhieni hapus gael parti bedydd er mwyn rhoi cyfle i bawb weld eu mab. 'Roedd rhestr maith o bobl i'w gwahodd, - y ddwy famgu a'r dau datcu, modrybedd, ewythrod, pob nai a nith, pob cefnder a chyfnither, arglwyddi ac arglwyddesau. Tyfodd y rhestr yn fwy bob dydd a byddai gweision yn mynd allan â'r gwahoddiadau yn gynnar iawn bob bore.

Penderfynnodd y Dywysoges y byddai'n rhaid glanhau pob twll a chornel o'r castell. Rhaid sgwrio'r lloriau, brwsio'r carpedi a golchi'r llenni.

'Roedd y Tywysog yn gwario llawer o'i amser yn ystafell ei fab er mwyn cadw draw o'r holl fynd a dod. Credai ef y dylai pawb fod yn falch i ddod i weld ei fab yn unig ac nad oedd angen yr holl baratoi yma.

'Roedd Gelert hefyd yn cadw draw o'r holl baratoadau rhag ofn i rywun benderfynnu ei sgwrio ef.

Byddai'r babi'n gwisgo'r ffrog fedydd les a wisgwyd gan ei dad ond penderfynnodd y Dywysoges y dylai pawb arall gael dillad newydd.

Mesurwyd pawb a bu wyth gwniadyddes wrthi'n brysur yn torri, yn pwytho ac yn gwnio'r defnyddiau sidan, satin, melfed a ffwr.

Cafodd y Dywysoges y ffrog brydferthaf i gyd. 'Roedd lliw glas y defnydd melfed yn union yr un lliw a'i llygaid. Brwsiodd ei gwallt fel arfer ac yna ei frwsio eto nes iddo ddisgleirio fel aur pur.

Gwisgai goron o aur Cymru wedi ei addurno â diemwntau ar ei phen.

Cafodd y Tywysog ei fesur ond ni hoffai gorfod sefyll yn llonydd. Awgrymodd i'r wniadyddes y gallai wneud llun o'i gysgod ar y llawr ac yna torri'r dillad i ffitio hwnna. Gwenodd y ferch ifanc gan ddal i dorri, pinio a gwnio.

O'r diwedd 'roedd wedi cael digon ac ysgydwodd ei hun yn rhydd o'r dillad gan ddweud wrth y wniadyddes druan i wneud y dillad fel y mynnai.

Erbyn hyn 'roedd cymaint o bobl i'w disgwyl ar y diwrnod pwysig fel y bu'n rhaid gwneud mwy o ddodrefn. Bu seiri wrthi'n llifo a morthwylio nes bod y Neuadd Fawr yn llawn byrddau a chadeiriau.

Gwyliai'r Tywysog y Dywysoges yn cerdded yn brysur o le i le. 'Roedd bob amser â rhestr yn ei llaw a byddai'n cyfri'n fanwl.

Aeth yn ôl i 'stafell ei fab gan wenu arno'n

cysgu'n dawel heb falio am yr holl ffwdan o'i gwmpas.

'Roedd pawb yn brysur iawn hefyd yn y gegin. Llanwyd y pantri o basteiod, cacennau a danteithion. Nid oedd unrhywun yn sicr faint fyddai'n dod i'r wledd felly rhaid oedd paratoi digonedd o bopeth.

Byddai deuddeg cwrs: hwyaid, ffesantod, cywion a gwyddau, cig eidion a phasteiod porc, eog a brithyll, cawl cennin a thatws, cacen fêl, teisen lap, cacen afal a chacen burum, pedwar math o darten a phum math o fara.

Rhostiwyd cig o flaen y tân, berwyd cawl mewn crochannau, pobwyd cacennau a bara yn y ffwrn ac ar y radell.

Rhaid i'r Prif Gogydd flasu popeth. Byddai'n bodio ac yn troi, yn blasu ac yn profi, yn cau ei lygaid ac yn ystyried yn ofalus.

"Mwy o bupur."

"Mwy o halen."

"Berwch yn araf."

"Perffaith."

"I'r dim."

Gwnaeth y Tywysog ddiod arbennig o fêl, gwin a pherlysiau, er mwyn i bawb yfed "Iechyd da" i'w fab. Fe'i gosodwyd mewn bowlen fawr arian a chwpannau bychain o'i amgylch ar ganol y bwrdd derw.

Dywedodd y Dywysoges bod blas hyfryd iddo ond gobeithiai nad oedd yn rhy gryf.

Daeth pawb o'r dynion pwysig i'r castell. Daeth rhai ar gefn ceffyl ac eraill mewn coets. Danfonnodd rhai eu gweision ar y blaen i baratoi eu hystafelloedd.

Daeth y Tywysog a'r Dywysoges i gwrdd â phawb a chyn hir 'roedd y castell yn llawn pobl yn

siarad ac yn chwerthin yn llon.

Cynhaliwyd dawns fawr. Y Tywysog a'r Dywysoges oedd y cyntaf i ddawnsio. Soniai pawb am brydferthwch y Dywysoges. Dywedent pa mor dda y dawnsiai hi gyda'r Tywysog, a chytunai pawb y byddai'r babi yn siwr o dyfu'n gryf ac yn olygus fel ei dad.

'Roedd gan bawb anrheg i'r babi: cwpan o aur Cymreig, croes arian, croen dafad i'w gadw'n dwym, a potel o ddŵr swyn i'w fendithio.

Gwenai'r baban yn hapus a chadwai Gelert lygad gofalus arno.

O'r diwedd daeth y parti i ben. Byddai rhai yn mynd gyda'r Tywysog a'r Dywysoges i'w llys hela ond âi'r lleill adref. Paciwyd y bagiau a'r cistiau a'u dodi yn y cerbydau.

Bu'r Tywysog a'r Dywysoges yn ffarwelio â hwy wrth gatiau'r castell a bu Gelert yn sicrhau nad

oedd unrhywbeth wedi ei adael ar ôl.

Pan âi'r Tywysog i hela, âi Gelert hefyd. Rhedai o'i flaen yn arogli'r ddaear gan chwilio am rywbeth i'w ddal, yna dod yn ôl at y Tywysog i ddangos bod popeth yn dda.

Pan ddoi ar draws gwningen neu betrisen byddai'n cyfarth yn swnllyd a dianc wnai'r ysglyfaeth.

'Roedd llys y Tywysog yn y goedwig wrth droed yr Wyddfa. Yn ddiweddar sylwodd Gelert ar arogl dieithr. Nid oedd yn hoffi'r arogl hwn.

Bu tipyn o sôn am flaidd mawr yn cael ei weld yn agos i'r llys, ond ni chymerai Llywelyn fawr o sylw o'r straeon gan ddweud wrth y Dywysoges na feiddiai unrhyw anifail gwyllt ddod yn agos â Gelert yno i'w amddiffyn.

Gwyddai Gelert fod perygl yn agos ond nid oedd y Tywysog yn ei ddeall. Gwyddai fod yn rhaid iddo

aros yn agos i'r Tywysog bach bob amser.

Bu'n arogli'r bobl yn y llys ond ni ddaeth o hyd i'r arogl drwg hwnnw fu'n ei boeni yn y goedwig. 'Roedd popeth yn dda, ac aeth i'w le ger crud y baban.

Gofynnodd hen fodryb ai peth doeth oedd gadael ci cymaint mor agos i'r Tywysog bach.

Chwarddodd Llywelyn. "Mi ymddiriedwn fy mywyd i Gelert. Daw ddim drwg i'm mab tra bydd Gelert yma i'w warchod."

Mwythodd y ci ac ysgydwodd Gelert ei gynffon.

Ar ganol y llys 'roedd neuadd fawr a thân agored.

Rhostiwyd yr helfa dros y tân agored a llanwyd y lle ag arogleuon hyfryd y cig rhost. Gorweddai Gelert o flaen y tân gan wylio na chai ei losgi gan y saim a dasgai wrth iddo gwympo ar y marwor poeth.

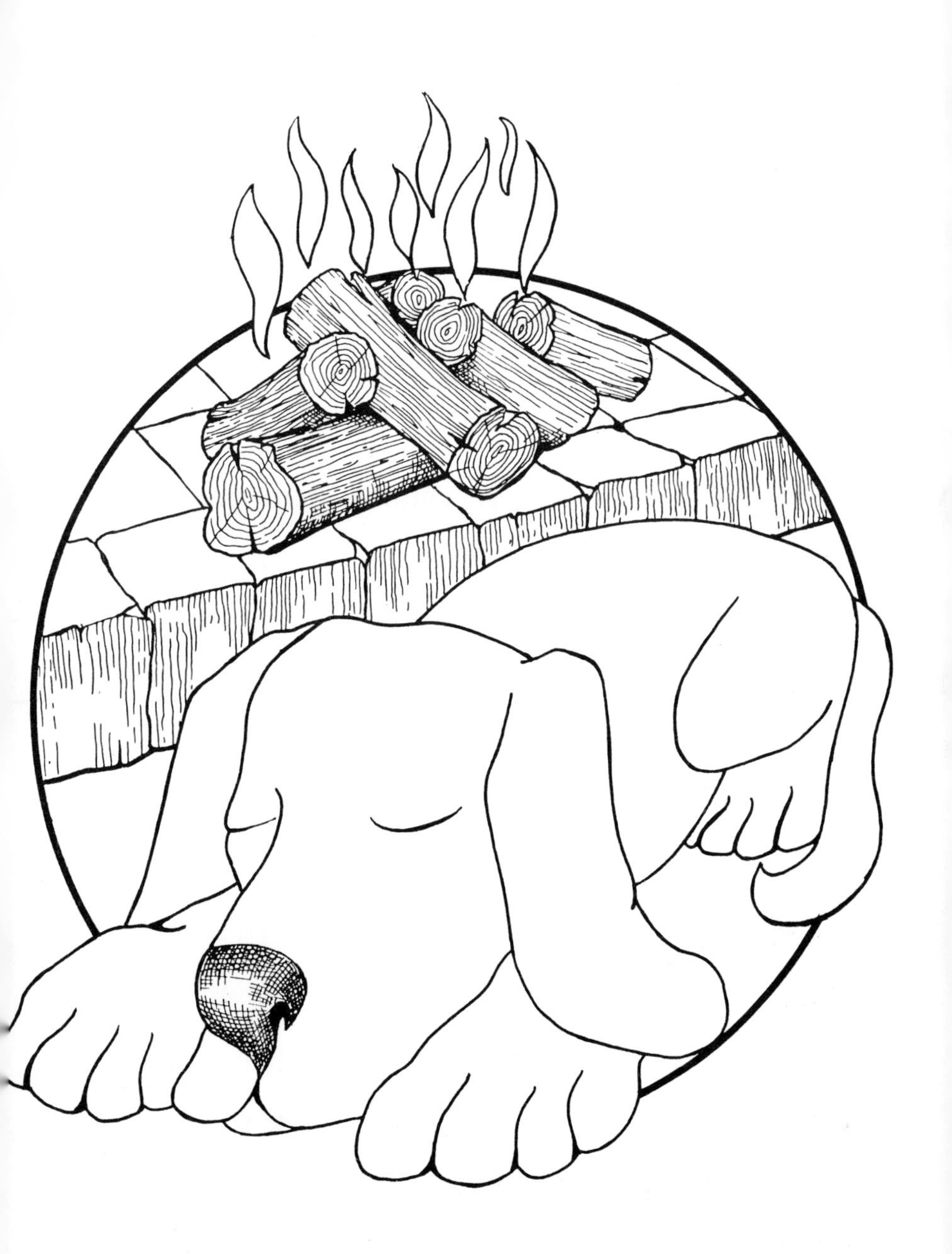

Torrodd y Tywysog ddarn o gig gyda'i gyllell, a'i brofi. Oedd, 'roedd yn dda.

Cyn hir 'roedd pawb yn eistedd wrth y bwrdd, yn bwyta ac yn llongyfarch ei gilydd ar ddiwrnod da o hela.

Ai Gelert o gylch yr ystafell, gan gnoi'r esgyrn oedd wedi eu bwrw ar y llawr. Arhosai wrth ochr y Tywysog oherwydd byddai wastad yn cael rhywbeth blasus ganddo.

Wedi i bawb fwyta llond eu boliau aethant allan i fwynhau heulwen ola'r dydd.

Gorweddodd Gelert o flaen y tân a mynd i gysgu.

Y bore trannoeth 'roedd y llys yn anarferol o ddistaw. Byddai'r gweision a'r morynion fel rheol yn siarad a chwerthin, ond y bore hwn 'roeddent i gyd yn ddistaw, ac edrychai un forwyn fel petai wedi bod yn crio.

'Roedd ôl pawennau brwnt gyd dros y llawr, ac

ar ben hynny diflannodd gyd yr esgyrn a'r cig sbâr ers ddoe. Ni fedrai'r cogydd wneud y cawl hebddynt a theimlai'n flin iawn. 'Roedd y forwyn yn ddrwg ei hwyl oherwydd bod y llawr mor frwnt.

Sylweddolodd Gelert mai ef oedd yn cael y bai. Sychai'r forwyn ei llygaid gan edrych arno'n ddig a gwelai bod hyd yn oed y Dywysoges yn ddrwg ei hwyl.

Aroglodd Gelert olion y pawennau gan chwyrnu'n isel. 'Roedd wedi adnabod yr argol. 'Roedd y blaidd wedi bod yn y llys. Cyfarthodd Gelert i geisio eu rhybuddio, ond doedd neb yn deall.

Aeth Gelert yn ôl at y Tywysog bach ar unwaith gan benderfynnu beidio ai adael ar ei ben ei hun.

Wedi brecwast aeth Llywelyn a'i ffrindiau i hela. Penderfynnodd y Dywysoges fynd gyda hwy gan adael y baban yng ngofal un o'i morynion.

'Roedd Gelert eisiau aros adref i warchod y babi

ond galwodd Llywelyn arno, ac aeth ar ôl ei feistr yn ufudd.

Anghofiodd Gelert am y blaidd am dipyn wrth iddo fwynhau'r hela. Glaniodd pili-pala ar ei drwyn gan wneud iddi disian.

Aeth tipyn o amser heibio cyn i Gelert sylweddoli bod rhywbeth ar goll. Ni fedrai glywed arogl drwg y blaidd. Ar y cyntaf 'roedd yn falch ond wedyn cofiodd am yr olion pawennau ar y llawr.

Trodd yn gyflym a rhedeg nerth ei draed am y llys. Galwodd y Tywysog arno i aros ond am unwaith nid oedd yn gwrando.

'Roedd ei wddwg yn boenus wrth iddo anadlu'n ddwfn ac yn gyflym, gan ofni y byddai'n rhy hwyr.

Baglodd ar fieri ond aeth ymlaen.

Wrth ddod yn agos i'r llys 'roedd arogl y blaidd ymhobman. Gallai glywed y Tywysog bach yn crio. Gan lusgo'i hun ar ei fol gwthiodd Gelert y drws ar

agor.

'Roedd yn hwyr y nos cyn i'r helwyr ddychwelyd i'r llys. Aeth y Tywysog a'r Dywysoges ar y blaen. Nid oedd y Tywysog yn deall ymddygiad Gelert ac 'roedd y Dywysges yn awyddus i weld ei mab.

'Roedd yr haul yn machlud gan daflu cysgodion dieithr dros y lle. Galwodd y Tywysog ar y forwyn ond 'doedd neb yn ateb.

Yna gwelodd y gwaed ar y wal. Galwodd eto a llusgodd Gelert ei hun tuag ato. 'Roedd ei got yn wlyb diferol gan waed ac 'roedd un o'i goesau wedi ei thorri.

"'Rwyt ti wedi lladd fy mab," gwaeddodd y Tywysog mewn arswyd.

Cododd ei gleddyf a chydag un symudiad cyflym trywanodd y ci. Edrychodd Gelert yn drist ar ei feistr gan gwynfan. Yna tawelodd. 'Roedd wedi marw.

STORI GELERT

Aeth y Tywysog ar frys i ystafell wely ei fab. 'Roedd crud y baban wyneb i waered a chlywai sŵn llefain gwan yn dod oddi tano. Plygodd Llywelyn ar unwaith a chodi'r crud.

Yno 'roedd ei fab wedi ei lapio yn ei siôl yn crio. Cododd y baban yn dyner a'i fagu yn ei freichiau.

Yna gwelodd gorff y blaidd. Deallodd Llywelyn wedyn fod y blaidd wedi dod i'r llys ac i Gelert ei ladd er mwyn achub ei fab bychan.

Gosododd y babi ym mreichiau y Dywysoges heb dweud gair.

Yn dyner, tynnodd ei gleddyf o gorff y ci a'i godi yn ei freichiau. Cariodd Gelert gan wylo, i fan heulog lle y gwariodd y ddau oriau lawer gyda'i gilydd a gosod ei ffrind i orffwys yn y pridd.

Galwodd y lle yn Feddgelert a dodi carreg yno i nodi'r fan.

Gallwch weld carreg fedd Gelert, y ci dewr heddiw os ewch i Feddgelert.

ISBN 1 85122 102 6

LLYFRAU DOMINO CYF., Bocs S P 78, Abertawe SA1 1YT.

GAN YR UN CYHOEDDWYR

Visit Wales, An Annual Guide.

The Welsh Pantry, Welsh Recipes

Country Cooking, Welsh Recipes

Coffee Morning Recipes

Cooking with Herbs and Spices

Wonderful Herbal Remedies

Lovespoons from Wales

Llwyau Serch O Gymru

The Welsh Doll

Y Ddoli Gymreig

The Welsh Dragon

Y Ddraig Gymreig

Welsh Dolls Colouring and Activity Book

The Story of Gelert

Gelert Colouring and Activity Book

Great Little Trains of Wales

The Maid of Cefn Ydfa

Y Ferch o Cefn Ydfa

The Maid of Cefn Ydfa Activity and Colouring Book